PRAYER
IN THE
NATIONAL
STADIUM

KATABASIS

PRAYER IN THE NATIONAL STADIUM

Maria Eugenia Bravo Calderara

Translated by Dinah Livingstone

with two poems translated by Cicely Herbert
and illustrations by Julio Moreno Robles

ACKNOWLEDGEMENTS

Some of these poems and translations have appeared in the following magazines and anthologies: *American Poetry Anthology, Anthology of Latin American Poets in London, Arts, Calibán, El Chasqui, Gairfish, Poesía Chilena del Báltico al Mediterráneo, Sing Freedom* (Amnesty Anthology, Faber and Faber).

The translator is grateful to Edward Livingstone-Learmonth for technical advice.

KATABASIS is grateful for the assistance of Greater London Arts.

First published 1992 by KATABASIS
10 St Martins Close, London NW1 0HR
Copyright: María Eugenia Bravo Calderara 1991
Translation copyright: Dinah Livingstone and Cicely Herbert 1991

British Library Cataloguing in Publication Data

Bravo Calderara,   María Eugenia
                     Prayer in the National Stadium
                     I. Title
                     861.62

                     ISBN 0-904872-16-5

The front cover and section title illustrations are by Julio Moreno Robles
Cover design by Dale Russell, Boldface
Designed and typeset by Boldface, 17a Clerkenwell Road, London EC1
(071 253 2014)
Printed in Exeter by SRP (0296 631075)

CONTENTS

LETTER TO THE READER

I started writing when I was eight years old. I took my writing activities very seriously but nobody else did. And one day, I found I had become a 'prisoner of war' detained in the Stadium. There I realised that I was a witness, and I wanted to write about the things I was seeing.

Later on, when I came to England to live in exile I continued writing, but poetry was above all a tool which helped me to survive. Around 1980 I came to the conclusion that my writing was more important to me and although I thought that perhaps I was never going to publish, I tried to become a good poet.

When I started writing my poems in the Stadium, and later in prison, I wanted to assert my freedom as an individual. It took a great amount of courage to write them, since I knew that the very fact of writing them was a defiance of the regime. Although today it might sound like an exaggeration, the truth is that at that time I felt that because of the content of such poems I could be killed. So these first poems were kept by my mother, who buried them in the garden; and when I was released I managed to give them to an International Red Cross Officer, who sent them to Switzerland in a diplomatic bag.

The first thing I did when I arrived in England was to go to Switzerland to collect my poems. I was aware that these early poems about the prison were not very good from the literary point of view; however for me, even today they have a very strong impact. Years later in London I was still writing poems on these haunting and harsh experiences.

From the beginning I wrote about reality, and because I was a witness I thought it was important to show reality as it was. For this reason I chose as a theme the private soldiers, who were in charge of us in the place where we were detained. They were conscripts, some of them supporters of Allende's Government like myself and there was nothing either they or I could do.

Likewise I felt at some point that I had to include some real characters, such as Colonel Espinoza who was responsible for running the National Stadium. Later on, Colonel Espinoza became the right hand of General Contreras, Chief of the DINA, Pinochet's secret police. As for Alicia Ríos, she was living in exile in London for several years. One day she returned to Chile where she was killed by members of the DINA.

There are also other characters mentioned in this book whom I am sure you know, such as Pete Seeger, Robert Redford, Sean Connery, Maria Schneider, Don Quixote, Sancho Panza, Adam and Eve. Other names belong to some people I know or who are my friends. In 'Navegaciones' Don Alonso is Don Alonso de Ercilla y Zúñiga, the Spanish poet and soldier who went to Chile with the conquistadors and wrote an epic poem called *La Araucana*, a very important literary work for Chileans since it describes the war between the Spaniards and the Araucanian Indians. 'Navegaciones' also mentions La Chascona, which was Pablo Neruda's house in Santiago. Today La Chascona is a museum run by Ana María Díaz. Finally, there is another character who requires to be introduced: he is Flavio, my Peruvian boyfriend who died in an accident in 1983 in Liverpool.

The poems in the last section of the book are my most recent ones. These were written during and after my first visit to Chile in seventeen years. With them I think I am approaching a new style. I want to write poetry that is very direct and conversational, that is not 'poetic' but is still poetry. Although I sense there is a stylistic change of direction here, I am sure that in this poetry there is something that has not changed: I am still a witness.

María Eugenia Bravo Calderara
London, December 1991

5

I

ORACION EN EL ESTADIO NACIONAL

Yo te ruego San Quijote
que vengas este día
hasta esta cruel noche de espantos,
a consolarme en los delirios,
a darme fuerzas para resistir esta noche,
y las otras noches más oscuras aún que
vendrán en sus manos crueles.

San Sancho,
en este día que se tuerce al gris,
ven a darnos el pan,
y la ternura cierta y verdadera,
de mi sangre,
la única,
por los siglos de los siglos,
amén.

Santiago de Chile, Noviembre de 1973.

PRAYER IN THE NATIONAL STADIUM

I pray to you, St Quixote,
visit me today
and in this dreadful night of fear
comfort my delirium,
give me strength to stand
this long night and those to come
even longer and darker
in their cruel hands.

St Sancho,
as this twilight turns to grey,
come and give us bread,
the true sure tenderness
that is in my blood,
the one thing necessary,
for ever and ever
Amen.

A PETE SEEGER
O EL DOMINGO MAS FLACO Y FRIO
DE MI VIDA

Fue el domingo más flaco y frío
de todos los domingos de mi vida.

Era un día en que no
llegaron a torturar, a interrogar.
– Un verdadero domingo después de todo –.
Los Prisioneros de Guerra podríamos descansar.
Y hasta solazarnos adivinando el sol detrás
de las paredes y la capucha.
Demorarnos un poco en vomitar lo que nos
daban por comida; aminorar el latido de las
sienes; detener la fiebre de las alucinaciones.

Pero el domingo insistía en ponerse fúnebre,
vestirse de luto, llorar acalambrándonos de frío,
y cuando parecía que finalmente el día iba a caerse
sobre nosotros, como una precipitada muerte,
oí ese silbido, aquella canción amiga.

Era tu voz Pete Seeger; tu voz distante,
que emergía desde un fondo lejano donde se
encontraba toda la luz.
Era tu voz preguntando por las flores;
tu voz que insistía en la paz contra la guerra.
Era tu voz Pete Seeger.
Y el silbador, silbó y silbó una a una todas tus canciones.

TO PETE SEEGER
OR THE COLDEST LEANEST SUNDAY
OF MY LIFE

It was the coldest and leanest
of all the Sundays of my life.

It was a day when they did not come
to torture and interrogate.
So a real Sunday after all.
We prisoners of war could rest
and even take comfort
in divining the sun behind walls and hoods,
take our time in vomiting what they gave us to eat,
reduce the throbbing in our temples,
check the fever of hallucinations.

But still that Sunday went on being funereal,
clothed in mourning, numbing us with cold.
Then when it seemed the day
was finally going to fall on us
like sudden death,
I heard this whistle, that friendly song.

It was your voice, Pete Seeger, your far-off voice.
It came from a great distance
where it was all light.
It was your voice asking for flowers,
your voice insisting on peace not war.
It was your voice, Pete Seeger.
And one by one the whistler whistled all your songs.

Y el silbador que nunca conocí, ni supe su nombre, ni su edad,
hinchó el día, la tarde, la pobre vida que latía en nuestras
manos vencidas,
hinchó el domingo con tu voz humana,
y finalmente, el día cambió su traje triste.

Y de pronto, poco a poco, lentamente, adiviné que todos,
empezábamos a sentirnos de nuevo, gente.

Santiago de Chile, Julio de 1974.

And the whistler I never met,
whose name or age I never knew,
flooded the day, the afternoon, our battered lives,
flooded that Sunday with your human voice.
Then at last the day changed out of its sad clothes.

Suddenly, bit by bit, slowly,
I realised we were all
starting to feel like human beings again.

Y YO LLORABA

Y estaban torturando niños, madre,
y estaban estirándoles los huesos, madre,
y poniéndoles electricidad, madre,
y hora por hora, madre,
tiempo largo por tiempo interminablemente largo, madre,

y los gritos me envolvían, madre,
y el mundo giraba enloquecido, madre,
hasta la negrura más negra, madre.

Y yo lloraba como nunca, madre,
y yo lloraba frenética, madre,
desesperada hasta la última fibra, madre,
y los niños gritaban cada vez más desesperados, madre,

y yo lloraba madre, como nunca
volveré a llorar en mi vida.

Londres, 1987.

14

AND I CRIED

And they were torturing children, mother,
they were stretching their bones, mother,
and giving them electric shocks, mother.
Hour upon hour, mother,
interminable ages, then ages again, mother,

and their shrieks were all round me, mother,
and to blackest black the demented world, mother,
whirled giddy with grief.

And I cried as I have
never cried before, mother,
I cried in a frenzy, mother,
desperate to my last fibre, mother,
and the children screamed
in more and more anguish, mother,

and I cried mother,
as I will never cry again
as long as I live.

SOLDADO RASO

A tí, bajito, moreno, esmirriado, al que le sudan las manos,
el que desconoce la gramática con sus acentos y giros accidentados,
a tí que te cayó en suerte tener que hacer el Servicio en este año,
y estar en el Ejército al fondo de toda jerarquía
y ser tan solo un soldado raso y sin graduaciones,
a tí, hoy yo te canto.

Porque,
cuando no tenía ojos tú me prestaste los tuyos,
y cuando tuve frío, tú me prestaste tu manta.

Porque,
me regalaste el cigarrito en el momento en que
más profundas y solas crecían las horas del desamparo,
y trajiste el mejoral, el ungüento o llevaste
el recadito necesario a la familia.

¡Cuánto nos quisimos en aquellas horas sordas!
y tu temblor era mi temblor, y uno y el mismo
el demonio dueño de nuestras vidas,
y sé de tu impotencia en la noche castigada,
y de tu desesperanza bajo el sol encogido.

No te ví y te ví, nunca supe tu nombre, ni de donde venías,
el cigarrito, el mejoral, el ojo al ciego,
la galletita anónima, el recadito . . .
No me dijiste tu nombre, ni donde estaba tu casa,
pero yo sé que tú te llamas pueblo.

Santiago, Agosto de 1974.

16

PRIVATE SOLDIER

For you, short, dark, under-fed, with sweaty hands,
who know nothing of grammar, accents and declensions,
your turn had come that year
to be called up for military service,
in the army at the lowest rank,
just a private with no stripes.
Today I sing to you.

Because
when I had no eyes you lent me yours
and when I was cold you lent me your coat.

Because
at that time when fear and isolation
were at their most overwhelming,
you rolled me a cigarette.
You brought me a painkiller, ointment,
delivered an urgent note to my family.

How we cared for each other in those dumb hours,
your shivering was my shivering
and one and the same demon dominated our lives.
I know about your powerlessness
in the vicious night
and your despair under the shrunken sun.

I did not see you and I saw you.
I never knew your name
or where you came from,
the roll-up, the painkiller, the blind eye turned,
the anonymous biscuit, the delivered note.
You did not tell me your name or where your home was
but I know what you are called. Human.

EL GRITO

Otro grito desgarra la noche
y una lengua escarlata
gotea sangre desde el cielo.

Bajo la noche,
un fulgor de estrellas malignas
parpadea.

Como si esto fuese una pesadilla
el aire trae un grito humano
y luego otro grito más.

Animales heridos aúllan
acuchillando la vida y
todo lo que aún permanece.

Los gritos resuenan llenando
toda la noche del mundo de
la no-piedad.

Y entonces, tambalea todo
lo que existe.

Es el Apocalipsis.

Es el final del mundo bajo la
lengua escarlata,
bajo las vísceras,
bajo los cuerpos colgantes
desde el cielo que gotea sangre
como en una inmensa carnicería.

SCREAMING

Another scream rips the night
and a scarlet tongue
drips blood from the sky above.

In the darkness
a dazzle of evil stars
are blinking.

Like a nightmare
the air carries human screaming
and then another shriek.

Wounded animals howl
lashing out at life
and everything that still remains.

The screams echo
filling all the world's night
with pitilessness.

Then all that exists
rocks.

It is the Apocalypse.

It is the end of the world
under the scarlet tongue,
the entrails,
the bodies hanging
from a sky that drips with blood
like a gigantic slaughter house.

En este lugar los verdugos
llevan la estrella de Chile
en sus uniformes.

Ellos administran aquí el dolor
y la muerte y me anuncian que
debo prepararme para morir.

A lo lejos, los gritos de los niños
que están siendo sacrificados me
recuerdan que esto es el final del mundo.

Y como si estuviese gravemente enferma
o a punto de morir intuyo que lo he
perdido todo.

Hasta la última esperanza.

Adelanto una mano y busco,
desesperadamente un dedo de dios,
algo, un pedacito de dios,
o su sombra.

Pero no encuentro nada. A mi
costado mi alma es un montón
de carbonizadas cenizas.

Como puedo la recojo,
y como si me estuviese ya de
verdad muriendo, me la visto.

Al amanecer estoy preparada
para el nuevo sacrificio.

Londres, Enero de 1991.

In this place
the torturers wear the star of Chile
on their uniforms.

Here they administer pain
and death and tell me
I must prepare to die.

Distant cries of children
being tortured
tell me this is the end of the world.

As if I were gravely ill
or at the point of death
I realise I have lost everything.

Every last hope.

I stretch out my hand fumbling
desperately for god's finger,
anything, any little bit
of god or his shadow.

But I find nothing.
My soul is a heap of ashes
burnt beside me.

I gather them up as best I can
and as if I were really dying,
I put them on.

Next day I am ready
for further torment.

PERDONADME

Perdonádme estos dolores que recuento
y que repito.

Perdonádme estos cortejos funerarios,
esta cárcel, estas prisiones, estos tormentos
que yo instalo en la mitad de mis poemas.

Perdonádme hermanos estos recuentos.
Sucede que desde entonces, yo soy
memoria.

Rotterdam, Agosto 1981.

FORGIVE ME

Forgive me for telling my pains
                              over and over.

Forgive these funeral processions,
these torments, these prisons
that I put in my poems.

Forgive me, friends, this repetition.
What's happened is that since then
                              all I do is remember.

II

TE DEJE CHILE

Te dejé Chile,
abatido y al lado de la desteñida primavera
que hirió los colores de las flores.

Te dejé acurrucado,
disminuído bajo un sol descolorido
por el que pasaban enfermas las nubes.

Te dejé con el corazón encogido y arrugado
como un pañuelo usado,
que se esconde en el último rincón del bolsillo.

Te dejé,
apretadamente oscuro,
apretadamente heroico,
y te dí la espalda,
con un nudo inconfesable en la garganta,
y un peso de piedra y de derrota en cada pie.

Londres, 1979.

I LEFT YOU CHILE

I left you Chile
battered in fading spring
whose blossoms bled away.

I left you cowering
under a feeble sun
occluded by sick clouds .

I left you with your heart discarded
like a used handkerchief
crumpled at the bottom of a bag.

I left you,
stubbornly dark,
stubbornly heroic,
I turned my back on you
with an unspeakable lump in my throat,
my footsteps leaden with defeat.

PREGUNTAS

Quién soy yo, además de esta pseudosombra
que balbucea en otras lenguas,
además de esta figura mal parada que oscila
en el espacio y se tambalea?

Quién soy yo, ahora que poco a poco
la memoria me desdice y me cortan los caminos
todas las fronteras de la tierra?

Quién soy yo, además de un cierto indeciso
candidato a ministro de la muerte,
a contadora de tumbas que no están en
ningún cementerio?

Londres, 1976.

QUESTIONS

Who am I but this half shadow
stammering in foreign languages,
this unsteady figure tottering
and stumbling into space?

Who am I now that little by little
memory contradicts me
and every frontier
bars my way?

Who am I but an uncertain
candidate for death's ministry,
an enumerator of graves not found
in any cemetery?

SOBRE EXILIOS Y DERROTAS

No. No fue la mala hora en Chena,
ni la macabra palabra de fiscales repentinos,
en Concejos de Guerra improvisados.
No. No me derrotó el fusil ciego apaléandome la espalda,
ni la negra capucha del horror de Investigaciones,
o el infierno gris de los estadios
con sus bramidos de espanto.

No. Tampoco fue el duro hierro en la ventana
cortándonos en pedazos de la vida,
ni tampoco el acecho a nuestra casa,
ni el paso sellado,
ni la lista negra para hundirse en la boca profunda del hambre.

No.
A mí me derrotó la calle que no era mía,
la lengua prestada en apresurados cursos circunstanciales.
Me derrotó la figura solitaria y mal parada
en otros meridianos que no nos pertenecían.
Era Greenwich,
meridiano cero,
cercanía de nada.

A mí me derrotó la lluvia extraña,
me derrotó el olvido de la palabra,
la memoria a tientas,
la mano de los míos tan lejana,
y el atroz océano de por medio,
mojando las cartas que esperé
y que no llegaron.

ON EXILES AND DEFEATS

No. It was not the bad time in Chena,
nor the sudden grim prosecutions
in improvised war councils.
No. The rifle butt in my back
didn't defeat me,
nor investigation's black hood of horror
nor the grey hell of stadiums
with their roars of terror.

No. Neither was it the iron bars at the window
cutting us off from life,
nor the watch kept on our house
nor the stealthy tread
nor the slide into the deep maw of hunger.

No. What defeated me was the street that was not mine,
the borrowed language learned in hastily set-up courses.
What defeated me was the lonely uncertain figure
in longitudes that did not belong to us.
It was Greenwich
longitude zero
close to nothing.

What defeated me was the alien rain,
forgetting words
the groping memory,
friends far away
and the atrocious ocean between us,
wetting the letters I waited for
which did not come.

Me derrotó un día y otro día
muriendo en mi ceniza de Jerningham Road,
agonizando bajo la niebla
de Elephant and Castle
sollozando en London Bridge.

Y me derrotó paso a paso,
el rigor del calendario;
y entre Monday-Lunes y Tuesday-Martes,
fui muriendo hasta no saber de mí.

A mí me derrotó la ausencia de tu ternura, Patria.

Londres, Abril de 1980.

What defeated me was yearning day after day
at Jerningham Road
agonising under the fog
at Elephant and Castle
sobbing on London Bridge.

And I was defeated step by step
by the harsh calendar;
and between Lunes-Monday and Martes-Tuesday
I had shrivelled into a stranger.

What defeated me was the absence of your tenderness,
my country.

Translated by Cicely Herbert

CANSANCIO

Y me canso de reverenciar
una y otra libra.

Me canso
de las explicaciones, de las
etiquetas que nos ponen:
Tupamaros, Terroristas,
Mendicantes Latinos de Otro
Mundo.

Ustedes, que matan embajadores,
(personas decentes).
Y no
recuerdan nuestros presidentes
asesinados con sus banderas
muertas,
y nuestros ministros
encarcelados en la Isla del Frío,
nuestras casas cercadas,
las ciudades sitiadas.

Y en el exilio,
no tenemos ni alma, ni cafeteras
por docenas,
o cortadoras de pasto
por docenas, ni decoro, ni ganas,
de seguirles el jueguito de la compra
de cositas en inglés.
No tenemos tampoco la sonrisa,
ni el pasaje de vuelta.

TIRED

I am tired of paying my respects
to this pound note and that.

I am tired of explanations,
the labels they put on us:
Tupamaros, Terrorists,
Latin Beggars from another World.

You who kill ambassadors
(decent people)
and do not
remember our presidents
assassinated with their banners
battered down.
Or our ministers
imprisoned in the Isla del Frío,
our houses surrounded,
our besieged cities.

And in exile
we have neither souls nor sets
of coffee pots
or lawnmowers
or decorum or the will
to play the game
of buying little things in English.
Neither do we have a smile
or a return ticket.

Tenemos una ratonera hecha de nubes
que aterrorizan a la luna,
y me canso.
Pero,
hay que darles a los hijos
alguna explicación.

Hasta que llegue el día en que
acepten lo único que podemos darles.
Que es nada de cafeteras por docenas,
de autos por docenas,
de fotos en colores,
que huelen a éxito logrado,
a casas llenas de objetitos
más importantes que las personas.

Y ME CANSO.

Londres, 1976.

We have a mousetrap made of clouds
that clamp the moon.
And I am tired.
But we have to give the children
some sort of explanation.

Until the day comes
when they accept
the one thing we can give them.
That has nothing to do
with sets of coffee pots
cars in dozens
coloured photographs,
which smell of success
achieved in houses full of objects
mattering more than people.

I AM TIRED.

CIERTO TEMOR

Hay cierto temor en el ojo
de las cosas,
un temblor en sus voces de madera,
impenetrables sólo se acercan a sí mismas,
y permanecen estables,
pero riéndose.
¡Así de malas pueden ser las cosas!
¡Ojo!

Londres, 1979.

A CERTAIN FEAR

There is a certain fear
in things' eyes,
a wobble in their wooden voices.
They are impenetrable,
thick with themselves alone
and stolid
but laughing.
That's how bad things can be!
Look out!

A INGLATERRA

Delgada y misteriosa Inglaterra,
aún lejana e impenetrable,
gracias, por esta casa que me das,
por esta neblina londinense gris y blanda.

Gracias, por la libertad que me das
de vivir y de dormir sin sobresaltos
sangrientos.
Gracias te doy,
y te dan mis padres,
abuelos,
tatarabuelos,
que fueron campesinos,
labradores y pioneros
de las tierras vírgenes
de La Araucanía,
y cuya tarea de amor
fue hacer florecer la tierra,
con sus manos enormes
que conocían el secreto idioma
de las semillas, del agua,
del viento, y de las raíces.

Para ellos, para mí,
alto es el honor de tus claustros universitarios
que como monasterios o catedrales solemnes
abres para mí, y detrás de mí,
a todo mi pueblo avergonzado con su traje humilde.

TO ENGLAND

Subtle mysterious England
still distant, ungraspable,
thank you for this house you give me
and this soft grey London mist.

Thank you for the freedom you give me
to live and sleep without sudden
incursions of bloodshed.
I thank you and so do my parents,
grandparents,
great grandparents,
who were peasants,
diggers and pioneers
in the virgin lands
of Araucania.
Their loving labour
made the earth bloom
with their huge hands
which knew the secret language
of seeds, water,
wind and roots.

For them, for me,
high is the honour of your cloistered universities,
august as monasteries or solemn cathedrals.
You open them to me
and behind me all my people
awkward in their humble clothes.

Gracias, por las manos educadas que nos tiendes,
por ayudarme a reconocerme en tu emoción humana,
y a pesar de estos exilios enlutados
yo te regalo esta flor negra,
para que la lleves junto a tu corazón despierto.
Y te doy también estos versos de ligero paso,
y esta triste sonrisa de mariposa cansada
que vivió más de la cuenta.

Londres, 1977.

Thank you for the kind hands you offer us,
for helping me find myself again
in your human feeling.
Notwithstanding this grief in exile
I give you this black flower
to wear near your attentive heart.
And I also give you these slight verses
and this sad smile of a tired butterfly
that has lived more than it bargained for.

MANZANAS

Me quiero comer
una manzana roja y grande.
Saludable como tan sólo saben
serlo las manzanas.

Hoy no deseo nada más.

Me quiero comer
solamente una manzana
sin pensar en nada;
así, sencillamente
sentada sobre el muro
balanceando los pies
y mirando a los que pasan
por la calle.

Feliz conmigo y mi manzana.

Londres, 1980.

44

APPLES

I want to eat
a big red apple
tasting healthy
in its special apple way

I want nothing else too
just to eat an apple
not thinking
anything as I

sit on a wall
swinging my feet,
watching
the world go by.

That's all.
Happy to be
me
with my apple.

CARTESIANISMO

Se me pierden los días
hondos, blandos, nebulosos,
días que me parecen nunca
existieron:

tiempo de las sinrazones
donde todo lo que era
lleno se consumió en
cenizas dolorosas.

Se me pierden los días,
y al buscarlos en el
calendario,
sucede que tampoco
están allí.

Se me pierden los días,
su sonido, su color,
su resonancia,
y ciertos meses, ciertos
años que no viví.

Sin sus ruedas, sus péndulos,
sus normales rotaciones.
Se me pierden los días.
Innumerables cientos de días.
Y sin embargo, existo.

Londres, 1982.

CARTESIANISM

I lose days
deep, soft, misty days
that feel as if
they never were:

times of unreason
in which everything
that had body dissolves
into ashes of pain.

I lose days
and when I search
the calendar I find
they are not there
either.

I lose days
their sound, colour,
resonance
and certain months, certain
years I did not live.

They lack wheels, pendulums,
normal rotations.
I lose days.
Countless hundreds of days.
Nevertheless I exist.

TENGO

Yo tengo una araucaria en Villarrica,
alta como una catedral verde, y tengo en
mi corazón una araucaria azul para mecer
las esperanzas.

Y tengo un hualle de ancha copa numerosa,
rumoroso capitán solitario de trigales
en una pampa en Panguipulli,
donde el aire ondea la bandera del viento
entre trémulo trébol y alfalfa
en los campos de Temuco.

Tengo también, de la secreta mañana de Licán Ray,
del espejo de su frontera azul en Calafquén,
la ruptura del día por un pájaro carpintero
madrugador; y tengo quebradas, nalcas, quilas,
boldos para condecorar la sangre de los leñadores
caídos, de los obreros de los aserraderos de Neltume.

Tengo, tengo, y tengo bosques, los pies del bosque,
miles de años de bosques, selvas silenciosas,
y hojas y raíces para caminar, e inaugurar con
mi paso el mundo que está naciendo.

Y tengo miel de Ancacomoe, para conjurar amargos
delirios, exorcisar distancias duras, hondos
olvidos oscuros como la boca del tiempo.

Tengo también maderas entre Huellahue y Melefquén,
y un puma de ojos dorados entre la selva en la
altura de Confluencia, donde el ulmo levanta su
copa coronada de fragante blancura a los veloces
                                    pasos del puelche.

I HAVE

I have an araucaria pine in Villarrica
tall as a green cathedral
and in my heart I have a blue araucaria
to rock my hopes on.

I have an oak with spreading branches,
my muttering solitary captain of the cornfield
on a plain in Panguipulli,
where the air is a waving windbanner
among trembling clover and alfalfa
in the meadows of Temuco.

In Licán Ray's secret morning,
at its blue glass frontier with Calafquén,
I also have an early woodpecker breaking day.
I have streams, foliage, bamboo,
boldos to honour fallen woodcutters
who worked in the sawmills of Neltume.

I have, I have, yes I have forests,
the forest floor, thousands of years of forests,
silent woods and leaves and roots to walk among
into the world at its beginning.

And I have Ancacomoe honey to heal bad dreams.
soothe hard distances, forspeak forgetfulness
deep and dark as the jaws of time.

I also have timber from Huellahue and Melefquén
and a golden-eyed puma in the high jungle
of Confluencia, where the frothy ulmo blossom,
white and scented, sways with the swift Puelche wind.

Y tengo un huanaco de suave paso entre la nieve
en Pirihueico, y praderas en la orilla retumbante
donde nacen los ríos al esplendor de la piedra
y la catarata, al camino del salmón.

Yo tengo los ríos madres del San Pedro,
la vertiginosa caída del Huilo-Huilo,
el apresurado estruendo del Hua-Hún.

Y tengo caminos en La Frontera,
donde el pueblo que marcó mi cara,
yo sé, que me espera.

Yo tengo en mi corazón una araucaria,
y tengo y soy una araucaria azul
para mecer las esperanzas;
y tengo finalmente, ancho amor,
por aquellos que un día abrirán
las puertas de la tierra y podré volver,
a mi araucaria de Villarrica,
a mis hualles de Panguipulli,
al perfume verde de los boldos,
y a la corona salvaje de espesura
que me proclamó por siempre
ciudadana natural del Reino de las Indias,
Capitanía Jeneral de Chile,
Región de La Frontera.

Londres, Septiembre de 1980.

I have a soft-footed guanaco
treading the Pirihueico snow
and water meadows by rivers
roaring in a glory of rocks and cataracts,
the salmon's road.

I have the mother rivers of San Pedro,
the giddy drop of the Huilo-Huilo,
the thunderous rushing of the Hua-Hún.

I have paths in La Frontera,
where the people who gave me my face
are waiting for me, I know.

In my heart I have an araucaria pine
I have and am a blue araucaria
to rock my hopes on.
Finally I have ample love
for those who will one day open
the gates to this land and let me return
to my araucaria in Villarrica,
my oaks in Panguipulli,
the green-smelling boldos,
and the wild crown of dense jungle
which has made me forever
a natural citizen of the kingdom of the Indies
in the captaincy general of Chile
in the region of La Frontera.

ALICIA RIOS

Yo no te conocí Alicia Ríos,
y por eso no puedo decir,
cómo era el cobre de tu piel,
el metal de tu voz,
el temple de tu alma;
pero, sólo sé que puedo decir
a qué se parecía tu esperanza,
tu esperanza araucana hermana
de mi esperanza verde,
la misma que sostengo
y sostenemos todos aquí,
aún más fuerte y verde,
aún más dolorosa,
después de tu partida.
Esa noticia que nos cayó
como un mazazo,
como si el día cayese asesinado,
como si el sol se ahogara en
ríos escarlatas y sangrientos.

Y donde hubo tanta vida,
de pronto no hubo sino un vacío,
un enorme silencio puro y
cristalino,
tal vez, para que resonara en él,
y se oyera en él, mejor tu nombre.

Y te pusimos Alicia Esperanza,
porque volverás, porque aún eres,
y estás viviendo y corriendo y
murmurando en nuestros ríos.

ALICIA RIOS

I never knew you, Alicia Ríos
so I cannot describe
your copper skin,
the timbre of your voice,
the temper of your soul.
But what I can do
is speak of your hope,
your Araucanian hope,
my green hope's sister.
The same hope as I have,
we all have here,
even stronger and greener,
even more painful
since your departure.
The news that hit us
like a hammer blow
as if the day itself had been struck down,
the sun drowned
in scarlet rivers of blood.

And where there was so much life
suddenly there was a void,
an enormous silence,
pure and crystalline,
perhaps for your name to echo in
and be heard louder.

And we called you Alicia Esperanza
because you will return,
you are still there, living, running,
sounding in our rivers.

Y bajarás de la montaña despeñada,
furiosa, iracunda, incontenible,
lavando todas las heridas de la patria,
limpiando todas las humillaciones
de tu pueblo.

Vendrás   Alicia Ríos,
volverás   Alicia Bío-Bío,
           Alicia Toltén,
           Alicia Mapocho,
           Alicia Cautín,
           Alicia Amazonas.

Vendrás.
Renacerás.
Te lo prometemos y juramos,
tu pueblo, tus mujeres, tus amigas.

Hasta la victoria, siempre, compañera!
Hasta mañana, hasta el futuro, Alicia Victoria!

Londres, Enero de 1985.

And you will hurtle down from the mountain
furiously, unstoppably,
bathing all our country's wounds,
washing away your people's shame.

You will come   Alicia Ríos,
You will return Alicia Bío-Bío
                Alicia Toltén
                Alicia Mapocho
                Alicia Cautín
                Alicia Amazon.

You will come.
You will rise again.
We swear, we promise you,
we your people, your fellow women, your friends.

Here's to victory, *compañera!*
Here's to tomorrow! Here's to the future!
Alicia Victoria!

SOBRE REDFORD, LA SCHNEIDER
Y OTRAS CUESTIONES

¡Ah! Cuando pienso en tí Robert Redford,
me dan ganas parrianas de suspirar
y decirte con voz etílica, arrastrada,
arrabalera, ¡Mijito!
como si en ese wikén de las arcadias
tú estuvieras a mi alcance
lo justo como para invadirte
y establecer una cabeza de playa,
– soñando que con mejor éxito que los
yankis en Bahía Cochinos –
y tal vez, poder columpiarse en la espuma blanda
de tu sonrisa,
y trayendo a cuento eso, de qué dirían
mis amigas si me vieran
siendo luz de las sombras de tus ojos,
¡Ah! doncel, mancebo, blondo,
apetecido bacán de las bacanas,
o tú Sean Connery,
que da lo mismo que vengas enlatado
de James Bond o cualquier cosa,
sobre todo a pasearte por algún sueño
más o menos erótico,
o más bien de frentón erótico, como se sabe
en el dormir sobresaltado de más de alguna
señora de casona deshabitada o señorita
de pequeño apartamento de gato y flores,
y te preparo la sorpresa de tu vida,
en el film más bullado de esta década,
y mientras preparo mi AKA
para el asalto a tus cuarteles de invierno,
y me arreglo el make up, las pestañas postizas

58

ABOUT ROBERT REDFORD, MARIA SCHNEIDER
AND OTHER MATTERS

Oh! Robert Redford, when I think of you
I get this Parra-like urge to sigh
a smitten tiddly suburban sigh
breathing: How gorgeous!
Oh! to have you within my reach
one idyllic weekend
close enough to get at you,
establish a beachhead –
with greater success
than the Yanks in the Bay of Pigs!
Oh, let me hang on your candyfloss smile!
And just think what my friends would say
if they saw me,
light of your dusky eyes,
my sweet blond hunk,
you delicious flash spoilt creature,
you Sean Connery,
you tinned James Bond
or something.
Going out with you in a
more or less erotic trance.
Or let's just say erotic,
like the lady's restless sleep
in her great empty house
or a bright young thing
in her flat with her cat and flowers.
And I plan the surprise of your life
in the most talked-about film of the decade
and while I fix my AK-47
for the assault on your winter quarters
and put on my make-up, false eyelashes,

te telefoneo Robert Redford para asegurarte
que todo no es más que un film de acción
o un simple sueño,
o tal vez no sea así,
después de todo,
ya que si Flavio se encontrase con María Schneider
no perdería el tiempo confabulando metafísicas
o mirando vallejianamente por la ventana
como si estuviera rota y afuera lloviera
como llueve los días jueves;
no, de seguro se propondría militarmente
la táctica y la estrategia para la toma y rendición
del objetivo,
María, María,
blanquísima María,
vestida con sólo un par de medias negras,
mientras a mí
de seguro me daría por contarte de la cárcel,
o de lo bella que se veía Fedra en las mañanas
dándole al Coronel Espinoza el parte del estado de fuerza:
'150 prisioneras de guerra mi coronel,
70 en el Camarín Sur y 80 en el Camarín Norte,
nadie enfermo mi coronel, a su orden,'
– o quizás me pondría a hacer recuentos de ciertos volcanes
que me truenan en la memoria,
volcanes pintiparados como senos túrgidos de la tierra,
o qué sé yo,
de cómo era veranear en Quintero y bailar en la Waikiki,
– donde no había nadie como tú Robert,
o tú Sean – con dentaduras modeladas
por dentistas caros y de moda,

I ring you, Robert Redford, to assure you
it's just an action film,
pure fantasy.
Or perhaps it won't be like that
after all,
for if Flavio met Maria Schneider
he wouldn't waste time in metaphysical debate
or gaze Vallejo-like through her window,
– broken – and raining outside
as it does on Thursdays.
No, he'd plan his strategy,
military tactics for conquest and surrender
of his objective:
Maria, Maria,
pearl-white Maria
wearing only black stockings.
While as for me, of course
I'd be telling you about the prison,
how beautiful Fedra looked in the mornings,
reporting to Colonel Espinoza on the state of the camp:
'150 women prisoners, colonel sir,
70 in the south block and 80 in the north,
no one sick, colonel sir, awaiting your orders.'
Or perhaps I'd speak of volcanoes
which erupt in my memory,
perfectly conical volcanoes, earth's swollen breasts,
or whatever.
Or chatter about my holiday in Quinteros
dancing in the Waikiki,
where there was no one like you Robert,
or you Sean, with your teeth revamped
by expensive fashionable dentists.

o lo peor, quizás caer en la nostalgia
de todo tiempo pasado fue mejor y
que las marchas de la Upé y las banderas
y no me toques Robert Redford,
no me tomes por el codo Connery,
que no es que me flaqueen las hormonas
o se diga que al fin y al cabo las uvas estaban verdes,

pero sí lo que me empeluzna es que Flavio
en su sueño del wikén, en su siestita de
los jueves se me escape con la Schneider
y que ya no regrese de su sueño
en que sólo ve las blanquísimas piernas de la Schneider,
vestida con sólo un par de medias negras.

Londres, Octubre de 1983.

Or worst of all
I'd fall to reminiscing nostalgically
about the past which was always better,
the UPE marches and banners,
and don't touch me Robert Redford,
don't take my elbow Connery.
It's not that my hormones are failing
or sour grapes on my part.
But yes, what worries me is that Flavio
escapes from me with Schneider
into his dream weekend,
his little Thursday afternoons,
and now he won't come back
from where he sees only her smooth white legs,
her wearing nothing
but a pair of black stockings.

SALMO

Y hacia Adán irían sus pasos,
hacia Adán se haría siempre su camino,
porque el amor es movimiento contra el tiempo,
porque el amor es río caudaloso a contra muerte,
y el desamor es cauce seco y polvoriento a contra vida.
Hacia Adán caminaría siempre Eva,
hacia aquel que colmándola como
a una copa desplazaba los terrores de la noche y de la muerte.

Y entonces el pequeño dios pudo ver
que Eva estaba contenta como el vino.
Y pudo ver que Eva estaba plena por haberlo conocido,
y Eva estaba satisfecha de sus hambres con las mieles de su boca,
y Eva estaba alegre por haber gustado la sal de sus sudores,
y Eva estaba complacida por tener su sembrador,
el que sabiéndola de dulce tierra,
para agradarla plantó en ella sus raíces.

Y el pequeño dios pudo ver
que a Eva correspondería siempre el verdor de la primavera,
que de su cuerpo manarían los ríos de las sangres,
los cursos de las vidas,
y el dios supo que Eva estaba preñada y que en su vientre,
la flor de Adán echaba sus semillas.

Londres, Enero de 1983.

64

PSALM

And towards Adam her footsteps went,
towards Adam she would always make her way,
because love is movement against time,
love is a flooding river against death
and unlove is a dry and dusty watercourse, unlife.
Eve would always go towards Adam,
towards him who by filling her like a cup
drove out nightmares and death's terror.

And then the little god could see
that Eve was happy like wine.
He could see that Eve was full because she had known him
and Eve's hungers were satisfied by his mouth's honey
and Eve was joyful because she had tasted his salty sweat
and Eve was glad to have her sower,
who knew she was sweet earth
and in order to please her planted his roots in her.

And the little god could see
that Eve would always be greenness of spring
and from her body would flow generations, lives,
and god knew that Eve was pregnant
and in her belly Adam's flower was dropping its seed.

VIAJES DE EVA

Para darte y recibir viajé
por el mudo continente de tu cuerpo.
Fui, anduve y palpé.

Desnuda. Me hice la caminante infatigable
de todo tu relieve y bajo tus soles de paz
coronada fui y reiné.

Y bajo el dominio de tus manos dormidas
como azucenas o lirios o jazmines yo estuve
y fue la paz con nosotros.

Y bajo el mando de la extensión de tu deseo,
tus clamores ardientes, tus reclamos de pelo,
uñas, dedos, dientes, la domada.
Fui la feroz dominada y tu libre cazadora de destellos.

Y bajo el imperio de tu espada conocí tus abismos,
y reposé nocturna, en el medio de la calma
de tus valles cultivados y floridos.

Y rumorosa acallé mi canto para oír el llamado
del fragor de tu sangre, y fiel, mantuve la
cabalgata rítmica de todas tus tormentas.

Me empapé del gozo de tus ríos turbulentos
que al estallar en sangre, esperma, espuma,
separan en un frágil minuto de cristal
todas las esencias y fragancias de esta vida.

Separábamos así, la luz de las tinieblas.

Londres, Enero de 1983.

EVE'S JOURNEYS

To give and receive you I journeyed
over your body's quiet continent.
I went, I travelled, I felt.

Naked I walked untiring down all your slopes,
up all your hills, and under your cheerful sun
I was crowned and reigned.

I lay in the power of your drowsy
lily iris and jasmine hands
and there was peace between us.

And because you desired me,
with insistent passion claimed my hair,
nails, fingers, teeth, so you took me.
I was the fierce tamed creature
and your fire I freely hunted too.

Through your thrust I knew your deeps
and rested at night
in the calm of your flowering valleys.

I hushed my murmuring song
to hear the call of your bloodbeat.
Faithfully I followed
the rhythmic procession of all your torments.

I soaked in the joy of your rushing rivers
which with a burst of blood, sperm, foam,
distilled in one fragile crystal minute
all this life's essences, all its sweetness.

Thus we divided light from darkness.

LOS AMANTES DE MONTPARNASSE

Los amantes de Montparnasse
no son ni franceses, ni de París,
y si dieron vigencia al amor
fue porque se casaron sin más ley
que la de la estrellas
y porque se les dió la gana,
porque sí
y porque no,
por todas las razones
y también por ninguna.

Los amantes de Montparnasse,
se miran tiernamente,
se contemplan,
se ruborizan,
y se hacen el amor cada día
como el primer día,
y cada día como si fuera el
último día.

Los amantes de Montparnasse
caminan por amplios bulevares
con una complicidad y cercanía
de hombro en el hombro,
de codo en el codo,
y sus piernas se buscan
por debajo de las mesas,
y sus ojos se buscan con la mirada,
y aunque buscan el secreto,
y aunque buscan la discreción
son descubiertos de inmediato
por inquisitivos camareros de café.

THE LOVERS OF MONTPARNASSE

The lovers of Montparnasse
are neither French nor of Paris,
and if their love had power
it was because they were married
under no law but the stars
and because they felt like it
because yes
and because no
for all reasons and for none.

The lovers of Montparnasse
gaze at each other with tenderness.
They explore each other
they blush
and they make love every day
like the first day
and each day as if it were
the last.

The lovers of Montparnasse
walk the wide boulevard
close linked
shoulder to shoulder,
elbow on elbow,
and their legs seek each other
under tables
and their eyes seek each other in glances
and though they want to be secret
though they want to be discreet
they are immediately found out
in cafes by inquisitive waiters.

Y es que los amantes de Montparnasse
se están amando ya demasiado,
tanto,
que sufren de males repentinos,
su enfermedad es de andenes,
de valijas,
de estaciones.

Los amantes de Montparnasse
son los únicos que se aman con
verdadero amor,
porque no dejarán nunca de existir,
y aunque yo muera mañana, amor,
y aunque tú te mueras ayer, amor,
seguiremos caminando por Montparnasse
bajo el sol de todos los veranos de París.

Aunque yo muera mañana, amor.
Aunque tú mueras ayer, amor.

Londres, Enero 1984.

Because the lovers of Montparnasse
love each other too much,
so much,
they suffer sudden maladies
sicknesses of platforms,
suitcases,
stations.

The lovers of Montparnasse
are the only true lovers
because they will never cease to exist
and even if I die tomorrow, love,
and even if you died yesterday, my love,
we will go on walking through Montparnasse
under the sun of every Paris summer.

Even if I die tomorrow, love,
even if you died yesterday, my love.

Translated by Cicely Herbert

IV

AS DE CORAZON

Yo soy o no soy.

Y cuando soy,
lo que soy,
es corazón coronado.

Santiago,
Enero de 1990.

ACE OF HEARTS

I am or am not.

And when I am
what I am
is a crowned heart.

EN MI PAIS

En mi país la gente
se toca,
se apretuja,
se mira,
y nadie dice sorry.

En mi país, el cuerpo, la piel,
y la mirada cuentan,
y te invaden,
se te acercan,
te dirigen la palabra,
y nadie dice sorry.

En mi país todos
quieren tocarme,
me abrazan y me besan
para certificar presencias
y nadie dice sorry.

En mi país,
la privacidad existe
solamente en los retretes,
y nadie se lamenta,
ni disculpa.

En mi país aún somos
algo monos,
algo gatos,
algo hormigas,
y nadie dice sorry.

IN MY COUNTRY

In my country
people touch each other,
press against each other
look at each other
and no one says sorry.

In my country
body, skin and glances count.
They invade you,
they come close to you,
they address you
and no one says sorry.

In my country
everyone wants to touch me,
they hug me and kiss me,
to show we are there
and no one says sorry.

In my country
privacy exists
only in the lavatory
and no one minds
or apologises.

In my country we are still
a bit monkey-like,
a bit cat-like,
a bit ant-like
and no one says sorry.

En mi país,
se llega a los otros por
la piel y la mirada.

Y afortunadamente,
nadie lo lamenta,
se disculpa,
o dice sorry.

Santiago, Enero de 1990.

In my country
you reach others
through skin and eyes.

And fortunately
nobody minds,
apologises
or says sorry.

EL ARBOL

Resulta que el hombre
más alegre del mundo,
es un hombre verde.

Es un árbol primaveral
con tendencia solar
y de veranos.

A veces le ví dorado
y otoñal, pero jamás triste,
pues no tiene vocación
de inviernos.

Bajo su generosa copa
y cerca de sus pródigas
manos extendidas,
la gente se agrupa para
gozar del amor que se
derrama.

Por eso para mí también,
fue imposible no amarle.

Londres, abril de 1990.

THE TREE

It so happens
the most cheerful man in the world
is a green man.

He is a springtime tree
tending to sun
and summer.

Sometimes I have seen him
golden autumnal
but never dreary
because he has no vocation
for winter.

Under his generous leafage
his ample extended arms
people gather to enjoy
the love that is shed.

That is why I too
found it impossible
not to love him.

CIELO AZUL AZULADO

Uno se acerca a la orilla
de la felicidad de dos.
Brillan blancas e intensas
las nubes bajo el cielo azul,
azulado, extremadamente azul.

Uno otea, observa, mira,
desde el borde,
la felicidad de dos.
Quizás un poco ajada.
Pero felicidad al fin.
Se diría.

Uno observa atentamente,
aquello que podría ser,
o es la felicidad de dos.

Y el poeta sabe que está
inmensamente solo y
con un frío mortal en los
huesos ante lo que puede
ser la felicidad.

Encima brillan inmóviles,
blancas e intensas las
nubes bajo el cielo azul,
extremadamente azul.

Santiago, Febrero de 1990.

BLUE SKY

You approach the shore
of the happiness of being two.
Bright white clouds shine
in the blue sky, how blue,
intensely blue.

You scan, observe, gaze
from the edge
at this happiness of being two.
Perhaps a little jaded.
But happiness nonetheless.
It could be said.

You note carefully
what it might be or is
this happiness of being two.

And the poet feels
immensely lonely
a chill in the bones
in the face of what
happiness may be.

Motionless above
the bright white clouds
shine in the blue sky,
intensely blue.

NAVEGACIONES

Voy a tu casa Pablo, La Chascona.
Ana María me muestra tus tesoros.
Por tu biblioteca navego como por un
mar descubriendo tus libros de oro.

Y navego, lenta, empapada de tanta luz
y en mis ojos relumbra deslumbrada la
maravilla.

Llegamos finalmente a tu *Araucana*,
anciana, pequeña y blanquecina.
El cuero de sus portadas me llena
las manos saludándome con su calidez
animal.

Y entonces oigo tu voz
y la de Don Alonso que me hablan
desde el fondo de los tiempos.

Y nado, me sumerjo, viajo hasta
la más antigua profundidad de
mis huesos,
siento la sangre corriendo por
mis venas,
corriendo por oscuras selvas de
araucarias.

Y sin palpar, palpo,
los huesos asiáticos de mis
pómulos,
y a través de ti, de tu casa,
de tus libros,
llego instantánea a mis
orígenes.

VOYAGES

I go to your house Pablo, La Chascona.
Ana María shows me your treasures.
I sail through your library,
a sea of discovery, your golden books.

I sail slowly drenched in light
my eyes are dazzled
by the miracle.

Finally we arrive at your *Araucana*,
an ancient whitish little tome.
Its leather cover fills my hands
and greets me with its animal warmth.

Then I hear your voice
and Don Alonso's speaking to me
from the depths of time.

And I swim, go under, down
to the oldest depths of my bones.
I feel the blood running through my veins,
through dark forests of araucarias.

And without touching them I feel
my Asiatic cheek bones
and through you, your house,
your books, at once
I arrive at my origins.

Yo soy también esto.
Este punto de reunión,
y a través de tu casa,
de tus libros,
tu *Araucana*,
puedo hablar con Don Alonso
y decirle:

'En este país aún sigue la guerra'.

Santiago, Enero de 1990.

I too am this.
This meeting point
and through your house,
your books, your *Araucana*,
I can speak to Don Alonso
and tell him:

'In this country the war is still going on.'

EL ULTIMO ARBOL

Con rigurosa exactitud
voy respondiendo a las pocas
cartas que aún me llegan.

Con rigurosa exactitud
considero los temas,
los diálogos que podrían
haber sido si en lugar
de cartas pudiéramos
haber hablado.

Con rigurosa exactitud
me extiendo por ellos,
y voy diciéndome lo
que nadie nunca oirá.

Con rigurosa exactitud van
así naciendo nuevos diálogos,
nuevos temas, ramas mayores
de comunicación que no será.

Y así de pronto crece,
está entero ante mí,
el implacable árbol
de la soledad.

Londres, Mayo de 1990.

THE LAST TREE

With rigorous precision
I answer the few letters
that still come.

With rigorous precision
I consider the subjects,
the conversations
that would have taken place
if instead of letters
we could have talked.

With rigorous precision
I spread myself in them
and I tell myself things
no one will ever hear.

With rigorous precision
new conversations arise,
new subjects, major lines
of communication that will not occur.

And suddenly there grows,
there stands before me
the implacable tree
of loneliness.